처음, 사회생활

사회생활을 시작하는
당신에게 들려주고 싶은 말 150

좋은생각

당신의

새 출발을 응원합니다.

______________________ 님께

______________________ 드림

001

인간의 본질은 예상치 못한 일을 하는 것이므로 모든 인간의 탄생에는 세상을 바꿀 가능성이 수반된다.

한나 아렌트

002

모든 '처음'은 당황스럽고 사람을 예민하게 만들지만, 인간을 행복하게 하는 호르몬의 대부분은 이 처음에 격렬하게 반응한다. 그래서 많은 것에 처음인 청춘은 인생에서 다시 경험하기 힘들 농축된 행복감도 맛보는 것이다.

남인숙

003

새 길을 닦으려면 새 계획을 세워야지요. 나는 어제 일어난 일은 생각 안 합니다. 내일 일어날 일을 자문하지도 않아요. 내게 중요한 것은 오늘, 이 순간에 일어나는 일입니다.

니코스 카잔차키스

004

온전하다는 것은 완벽하다는 의미가 아니다.
깨진 부분도 오롯이 받아들인다는 의미다.

파커 파머

005

'일과 삶의 균형'을 일과 삶 중 하나가 올라가면 하나가 내려와야 하는 대립 구도로 바라보는 것은 아닌지 살펴볼 필요가 있다. 본질은 '인간다운 삶'을 추구하는 데 있다. 일과 삶을 대립하는 구도로 보는 관점에서 벗어나, 일을 통해 자신이 추구하고자 하는 삶의 가치가 잘 반영될 수 있도록 하는 게 중요하다.

이항심

006

경험을 소중하게 사용한다면 그 어떤 잘못도
시간 낭비가 아니다.

프랑수아 오귀스트 로댕

007

잠들기 전, 귀찮은 일 하나를 정하고 다음 날 일어나자마자 해치우자. 벌써 한 가지를 해냈다는 성취감에 놀랄 것이며, 이를 통해 하루 에너지와 활력을 얻는다.

호어스트 에버스

008

반드시 이겨야 하는 건 아니지만 진실할 필요는 있다. 반드시 성공해야 하는 건 아니지만 소신을 가지고 살 필요는 있다.

에이브러햄 링컨

009

풀리지 않는 모든 문제에 인내를 가져라. 문제 그 자체를 사랑하라. 당장 해답을 얻으려 하지 말라. 그건 지금 주어질 수 없으니까. 중요한 건 모든 것을 살아 보는 일이다. 지금 그 문제를 살라. 그러면 언젠가 자신도 알지 못하는 사이에 삶이 해답을 가져다줄 테니까.

라이너 마리아 릴케

010

앞을 보며 점과 점을 연결할 수는 없다. 뒤돌아볼 때만 가능하다. 그러나 당신은 언젠가 점들이 연결될 거라고 믿어야 한다. 이 접근법은 나를 한 번도 실망시킨 적 없고, 내 삶의 모든 것을 이루게 해 주었다.

스티브 잡스

011

매일 아침 하루 일과를 계획하고 그것을 실행하는 사람은 삶이라는 복잡한 미로에서 자신을 안내할 한 올의 실을 지닌 것이다.

빅토르 위고

012

어려운 일을 맞닥뜨렸을 때 이를 해결하는 열쇠는 관계에 있다. 동료와의 관계, 조직과의 관계. 소속감, 함께 해 나갈 수 있다는 생각이 어려운 일을 헤쳐 가게 하는 힘이다. 우리는 혼자 일하기 싫어하고, 함께하길 원한다. 그것이 사람 사는 방식이다.

테오 엡스타인

013

아는 세계에서 모르는 세계로 넘어가지 않으면 아무것도 배울 수 없다.

클로드 베르나르

014

어떤 일을 아주 잘하려면 능력 이상으로 노력해야 한다. 타고난 재능이 없는 일도 거듭하다 보면 제2의 천성처럼 된다. 그 정도로 열심히 하는 능력은 하루아침에 생기지 않는다.

존 어빙

015

진정한 힘은 싸움이 아니라 지혜를 통해 얻을 수 있다. 진정한 강인함은 감정에 저항하는 게 아니라 감정의 무게를 견디는 것이다. 진정한 용기는 사랑을 거부하는 게 아니라 사랑의 무게를 감당하는 것이다.

덩훼이원

016

우리가 하는 일이 소용없어 보이고 더 나아가 우리의 기대와 정반대거나, 그 일로 아무것도 얻지 못할 수 있다는 사실과 직면해야 한다. 이런 생각에 익숙해지면 점차 결과가 아니라 가치와 정당성과 일의 진실에 집중하기 시작한다.

토머스 머튼

017

나와 남이 다르다는 것을 인정만 할 수 있어도
번뇌는 훨씬 줄어든다.

법륜

018

어떤 일을 잘하기 위해서는 첫 번째로 사랑,
두 번째로 기술이 필요하다.

안토니오 가우디

019

초조해하면 안 돼. 시간만 투자하면 어떻게든 된다. 늘 처음은 이런 거야. 끈질기게 물고 늘어지면 된다. 천천히 나아가자.

마루야마 겐지

020

알아듣는 것보다 더 어려운 것은 받아들이는 것이다.

박완서

021

일할 때 당신은 진실로 삶을 사랑하고, 일하며
사랑할 때 삶의 가장 깊은 비밀과 가까워진다.

칼릴 지브란

022

마음은 마치 문과 같아서 매우 작은 열쇠로도 쉽게 열릴 수 있다. 그중 가장 중요한 두 가지 열쇠는 "고맙습니다."와 "안녕하세요."라는 미소 띤 말이다.

박성철

023

우리 영화는 하나같이 처음엔 최악이다. 우리 일은 그 상태를 개선하는 것이다. 우리는 활기를 돋우는 솔직한 피드백과 반복 수정의 위력을 믿는다. 결함 있는 이야기가 직통 도로를 찾고, 텅 빈 캐릭터가 영혼을 찾을 때까지 수정하고 또 수정한다.

에드윈 캣멀

024

자신에게 적대감을 느끼는 사람이 어떤 입장에서 말하는지 주의 깊게 듣는다면 둘의 관계에 변화가 생길 수 있으며, 때로는 배움을 얻기도 한다.

윌리엄 코퍼스웨이트

025

문제와 도전 과제, 잘 안 풀리는 상황이 존재했기에 성장할 수 있었다. 내가 정말로 배우는 것은 그런 때였다.

캐롤 버넷

026

우선순위 결정에는 중요한 원칙 몇 가지가 있다. 과거가 아닌 미래를 선택할 것. 문제가 아닌 기회에 초점을 맞출 것. 평범한 것이 아닌 독자성을 가질 것. 무난하며 쉬운 게 아니라 변혁을 가져다주는 것.

피터 드러커

027

태도가 전부는 아니지만, 전부에 가깝다고 봐도 좋을 것이다. 많은 상황에서 태도는 우리가 가진 유일한 무기다.

메리 파이퍼

028

성공하는 사람이란 남들이 자기에게 던진 벽돌로 튼튼한 기초를 쌓아 가는 사람.

데이비드 브링클리

029

책을 읽을 때 머리를 스치는 아이디어가 있다면 미루지 않고 곧바로 메모해 둔다. 눈으로만 읽지 말고 생각의 흔적을 남겨 두는 것. 기록을 바탕으로 내 생각을 덧붙이면 사고가 확장된다.

이시와타 고이치

030

걸음마를 익히는 아기를 보세요. 아기가 단번에 성공할 거라 믿나요? 다시 서 보고, 그러다 또 쿵 하고 넘어지지요. 아기는 평균 이천 번을 넘어져야 비로소 걷는 법을 배웁니다.

로랑 구넬

031

한 경영자가 심리학자에게 창의적인 직원과 그렇지 않은 직원의 차이점을 물었다. 연구를 마친 심리학자가 말했다. “창의적인 직원은 스스로를 창의적이라 생각하고, 그렇지 않은 직원은 자신을 창의적이지 않다고 생각하는 것 말고는 없다.”

마이클 미칼코

032

누군가가 당신을 위해 자신의 하루 중 일부를 할애한다면, 그는 자신 또는 다른 사람을 위해 무언가 하기를 포기하고 당신에게 시간을 내주는 것이다. 당신은 당신의 부탁이 사소한 것이라고 생각하기 쉽다. 그러나 상대방이 바쁜 상황이라면 그것은 결코 작은 부탁이 아니다.

티나 실리그

033

인생이란 배움의 연속이다. 사랑하는 법, 놓아주는 법, 자신과 타인을 향해 가장 친절하게 사는 법을 배우는 것이다.

브로니 웨어

034

재능은 타고나야 하는 반면 끈기는 기를 수 있다는 사실이 더 중요하다. 간단한 방법이 있다. 거창할 것 없는 목표 하나를 만들고 매일 지키는 것이다. '귀찮지만 간단하니까 하자.'라는 생각이 쌓이면 큰 도전도 할 수 있는 능력이 생긴다. '난 여기까지야.'라고 말하지 말라. 우리는 누구도 자신의 한계까지 가 보지 못했으니까.

안젤라 리 더크워스

035

비극적으로 살려면 비교만, 즐겁게 살려면 비유를 하세요. 저를 어떤 피디와 비교하면 둘 중 한 사람은 화가 나겠지만, '그분은 장미, 난 프리지어.' 이렇게 비유하면 둘 다 행복하지 않을까요? 따지는 삶은 곤혹스럽죠. 다지는 삶을 살아야죠.

주철환

036

내게 성공의 비밀이 있다면 그것은 다른 사람의 입장을 이해하고 사물을 다른 시각으로 바라보는 것이다.

헨리 포드

037

어떤 일을 하는 보람은 그 일이 쉬운가 어려운가, 또는 그 일에 성공할 수 있는가 아닌가에 있는 것이 아니라 오히려 희망과 인내, 그 일에 쏟아붓는 노력에 있다.

헬렌 니어링

038

'나는 할 수 있다.'로는 작은 일을 이루어 낼 뿐이다. 경이로움을 만들어 내는 것은 '나는 할 거야.'다.

조지 퍼트넘

039

다른 사람을 기쁘게 하고, 다른 사람에게 도움이 되는 것, 다시 말해 다른 사람을 위해 무언가를 하는 것은 놀이와 다르다. 다른 사람을 기쁘게 하기 위해서는 진지해져야 한다. 고생이라고 해서, 생각대로 되지 않는다고 해서 도망칠 수도 없다. 하지만 그렇기에 성취감도 느끼고, 동료도 생기고, 인간관계도 넓어진다.

이나가키 에미코

040

지나고 나면 결국 다 웃어넘길 수 있는 것들.

찰리 채플린

041

사람들은 때로 비이성적이고 자기중심적이에요. 그럼에도 그들을 사랑하세요. 좋은 일을 하면 다른 동기가 있다고 비난할지 몰라요. 그럼에도 좋은 일을 하세요. 당신의 최고를 세상에 주고도 호되게 당할 수 있어요. 그럼에도 최고를 주세요.

헤디 라머

042

사람들의 생각을 연구한 결과 대개 이분 안에 걱정이 유용한지 아닌지 판가름 났다. 그러니 이 분 동안 실컷 걱정한 뒤 스스로에게 물어보라. 답이 보이나? 마음이 편해졌나? 그렇지 않다면 더는 생각하지 말고 떨쳐 버려라.

김병수

043

혹시 누군가로부터 "불가능해!"라는 말을 들으면 도망치지 않길 바란다. 가능과 불가능을 결정하는 것은 다른 누군가나 지금의 당신이 아니라 미래의 당신이기 때문이다.

나츠오 사에리

044

좋아하는 일을 직업으로 삼은 열일곱 명의 인터뷰이를 만났습니다. 그들에게 어떻게 좋아하는 일을 하며 살아갈 수 있는지 물어보았습니다. 대답은 한결같았습니다. 시작했기 때문에 나아갈 수 있었다고 했습니다.

김희진

045

당신이 원하는 모든 것은 두려움 저편에 존재한다.

잭 캔필드

046

나는 언젠가 윌 로저스가 했던 말을 기억한다. "사람은 모두 무지하다. 다만 그 무지한 분야가 서로 다를 뿐이다." 다시 말하면, 모든 사람은 어떤 일에 관해서는 전문가라는 사실이다. 누구에게나 말하고 싶은 주제가 적어도 한 가지는 있다. 그 전문성을 존중하라. 당신이 존중하는지, 안 하는지 사람들은 바로 느낀다. 그들은 자신이 존중받는다고 느낄 때 당신의 말을 더 주의 깊게 들을 것이다.

래리 킹

047

비틀스가 성장한 것은 리버풀에서가 아니라 함브루크에서였다. 열두 시간을 연주하며, 말도 통하지 않고 심지어 음악 따윈 안중에도 없는 사람들에게 어떻게 맞추어야 하는지를 배웠다. 그렇게 혹독한 생활 속에서 우리는 가장 중요한 것을 우리 것으로 만들었다.

존 레논

048

건강은 정신과 몸을 가꾸는 행위이고, 결국 자신의 삶을 돌보겠다는 다짐이다.

나카가와 히데코

049

오뚝이처럼 비틀거리면서도 기어이 똑바로 서는 존재, 바로 우리가 아닌가.

이숙영

050

나는 누구보다 소중한 사람이다. 열등감도 있고 단점도 많지만 좋은 사람을 만나고 좋은 관계를 만들어 갈 수 있는 충분히 괜찮은 사람이다. 그러니까 '내가 허락하지 않는 이상 당신은 나에게 함부로 상처를 줄 수 없다'는 단단한 마음을 갖고 삶을 헤쳐 나가길 바란다.

배르벨 바르데츠키

051

축복받으면서 작업을 준비한 적은 없는 것 같다. 해내지 못할 것이라는 이야기를 들을수록 오기가 생겨 더 매달렸다. 아주 일상적이고 자질구레한 이야기로도 강렬한 장편 영화를 찍을 수 있다는 것을 보여 주겠다고 다짐했다. 〈괴물〉을 찍을 때도 마찬가지였다. 모처럼 좋은 평가를 받고 있는데 왜 아이들 보는 영화를 찍으려고 하냐며 모두 말렸다. 하지만 오히려 이런 반대가 영화를 더욱 찍고 싶게 했다.

봉준호

052

내 푸념은 누구의 마음도 움직일 수 없다. 내 한숨은 사람들에게 전염된다. 내 입에서 나온 불평은 나와 주변 사람들을 멀어지게 한다. 불평을 멈추자 다른 사람들이 내게 다가온다는 것을 확실히 느꼈다.

크리스틴 르위키

053

인생 최고의 황금기는 자기 자신의 문제를 스스로 결정할 때다. 나의 문제를 남의 탓으로 돌리지 말자. 내가 나의 운명을 통제하고 있다는 것을 알아야 한다.

스티브 구디어

054

누구에게나 새로운 시작은 두렵고 떨리게 마련이다. 하지만 살아 보니 틀린 길은 없다. 시도한 일이 혹시 실패한다고 해도 경험은 남아 다른 일을 할 때 도움이 된다. 꿈을 이루기 위해 무언가 해 보려면, 씨앗이 껍질을 뚫고 나오듯 새로운 세계로 나아가야 한다. 괴테도 "새로운 일을 시작하는 용기 속에 당신의 천재성과 능력, 기적이 모두 숨어 있다."라고 말하지 않았던가.

우종영

055

나는 뜻밖에 갖게 되는 일 분을 헛되이 보내지 않도록 언제나 작은 책을 주머니에 넣는 것을 잊지 않았다.

윌리엄 글래드스턴

056

자기주장 훈련 전문가 허버트 펜스터하임은 "자신을 표현할 수 있는 정도가 자존감의 정도를 결정한다."라고 말했다. 놀라운 사실은 자기표현을 잘할수록 다른 사람들 또한 당신을 좋아한다는 것. 가장 좋은 점은 자기다운 삶을 살게 되는 것이다.

문요한

057

내가 하고 싶은 일을 하고, 내가 하고 싶은 일을 믿고, 내가 믿는 일을 위해 노력하면 그것은 어느 순간 내 것이 된다.

헤르만 헤세

058

꿈에 맞는 모습의 길을 찾아낼 때 내 인생은 조화를 찾을 거야. 그러자면 몸의 아주 작은 힘줄에 이르기까지 자기 자신이 누구인지 느낄 줄 알아야 해.

클라라 마리아 바구스

059

삶이 힘들고 무기력해질 때 자신에게 물어봐야 한다. '나는 무얼 위해 살고 있지?' 마음속에서 답이 올라올 것이다. 승진하려고, 돈 버는 재미로, 연속극 보는 재미로……. 꼭 고상할 필요는 없다. 인생의 위기는 삶의 의미가 증발해 실존적 진공 상태(Existential Vacuum)에 빠졌을 때 온다. 돋보기를 쓰고라도 자기만의 삶의 의미를 찾아야 한다. 세상 사는 힘이 여기서 나오기 때문이다.

이무석

060

정말로 중요한 것은 완벽하게 동그란 공이 되는 것이 아니라 자신의 공 모양을 인정하는 것이다.

오카다 사오리

061

인생은 우리에게 성공이나 만족감을 내어 주는 것이 아니라 시련을 주어 성장하게 만든다. 경지에 오른다는 것은 연습을 통해 그런 시련을 겪는 일이 여유로워지고 만족스러워지는 미스터리 한 과정이다.

조지 레너드

062

서로 맞지 않는 사람과 일치할 수 있는 방법은 내가 먼저 마음을 바꾸는 것이다.

발렌타인 수자

063

잘하는 일은 직업 하나면 충분하다. 나머지는 좋아하는 만큼만 즐기면 된다. 나는 시에 재능이 없지만 이십 년 가까이 시를 곁에 두고 즐기면서 산다. 경쟁할 필요 없이 좋아하는 일을 하는 것이 얼마나 삶을 풍요롭게 하는지는 정말 경험해 봐야 안다.

이근후

064

피라미드 건설, 파나마 운하, 달 착륙. 생각해 보면 인류의 거창한 업적은 한 사람이 아니라 모두가 협력해서 한 일이지요.

루이스 폰 안

065

아주 작은 어그러짐이라도 받아들인다면 이 또한 하나의 모험일 테다.

크리스틴 페레플뢰리

066

부끄러움을 아는 것은 중요하다. 같은 일을 하고 "어쩔 수 없었다."라고 하는 것과 "잘못했다."라고 말할 수 있는 건 분명 다르기에.

최경민

067

매사 처음부터 뜻대로 되지 않았고 뭔가를 시작해도 대개 실패로 끝났다. 그래도 얼마 남지 않은 가능성에 기대를 품고 그늘 속을 걷고, 하나를 거머쥐면 다음 목표를 향해 작은 희망의 빛을 이어 나가며 필사적으로 살아왔다. 나에게서 뭔가를 찾아낸다면 아마도 그것은 뛰어난 예술가적 자질이 아니라, 가혹한 현실에 직면해도 포기하지 않고 살아남으려고 분투하는 완강함일 것이다.

안도 다다오

068

우리는 다른 사람을 변화시키는 힘을 늘 갖고 있지는 않지만, 우리 자신을 바꾸는 힘은 갖고 있다.

스펜서 존슨

069

불가능하다고 말하면 뇌는 자동적으로 불가능한 이유를 찾는다. 한데 불가능하다고 말하는 이에게 "가능해지려면 무엇을 해야 할까요?"라고 물으면 신기하게도 답이 나온다. 말은 자신이 찾는 정보와 사고를 이렇듯 쉽게 바꾼다.

호시 와타루

070

나만이 잘하는 것이 분명 있는데도 사람들은 내가 못하는 것만 지적했고 거기에 집중하다 보니 내 장점을 잃어버렸다. 재활하는 동안 나의 우승 장면이 담긴 영상을 다시 보면서 내 장점에 집중한 것이 메이저 대회 포함 2주 연속 우승의 비결이다.

신지애

071

자신을 향해 웃는 것은 살면서 배워야 할 가장 중요한 능력이다.

캐서린 맨스필드

072

인간의 가장 숭고한 자질은 뭔가를 변화시키는 능력이다. 이성으로 무장한 인간은 두 가지 측면을 살펴보고 그중 하나를 선택할 수 있다. 틀릴 수도 있다. 나는 그것 또한 인간이 지닌 권리라고 생각한다.

레너드 번스타인

073

젊었을 때는 연주회를 앞두고 너무 힘들어서 '아! 도중에 그만둬야 하나.' 할 정도로 고민한 적이 종종 있었다. 그때마다 위기를 넘어설 수 있었던 것은 음악에 대한 성실한 태도 때문이었다. 삶에 대한 성실함은 흔들리지 말아야 한다. 이것이 흔들리면 표면적인 성공을 이뤘다고 해도 그 가치는 사라지고 만다. 쉽지 않을지라도 우리 자신의 삶에 충실하게 임한다면 모든 것은 그 기준에 맞춰 해결될 것이다.

백건우

074

실천은 생각이 아니라 책임질 준비를 하는 데서 나온다.

디트리히 본회퍼

075

우리는 칭찬이나 동의, 고마움 등의 형태로 타인에게 인정받을 때 기분이 좋아진다. 물론 이는 좋은 일이다. 그러나 간절히 바라는 칭찬과 동의를 얻지 못해 괴로워하는 일이 잦은 게 문제다. 존엄에 대한 가장 큰 오해는 우리의 자존감이 외부 요인에서 비롯된다고 생각하는 것이다. 이는 내면의 힘을 포기하는 행위다. 존엄은 태어나면서 부여받은 가장 큰 선물이며, 늘 우리와 함께한다.

도나 힉스

076

자신감은 지금까지 수없이 성공했으므로 앞으로도 할 수 있다고 믿는 것이 아니다. 자기 안의 불확실한 부분을 일깨워 보기로 결심하는 것이다.

에마뉘엘 드레세르

077

힘겨운 상황에 처했을 때 부정적인 결정을 내리지 말라. 침울할 때 중요한 결정을 내리지 말라. 기다려라. 폭풍은 지나갈 것이다.

로버트 슐러

078

꿈은 현실보다 더 진짜일 수도 있어. 왜냐하면 네 안에 있는 거니까. 네 거니까.

로렌차 젠틸레

079

인간의 삶을 불행하게 하는 가장 강력한 요소를 한 가지만 말해 보라고 한다면, 나는 주저 없이 '비교'를 첫 손가락에 꼽겠다. '무엇에 비해서'라는 수사가 동원되는 순간, 삶의 리듬은 헝클어지고 내 목표는 초라해지거나 허황돼 보이기 시작한다.

정혜신

080

직업은 당신의 진정한 기쁨과 세상의 깊은 허기가 만나는 장소다.

프레드릭 비크너

081

무너져 버릴 것 같은 순간마다 주위 사람이나 사물로부터 용기를 얻으면 된다. 모두 그렇게 힘을 내고 살아간다.

오쿠다 히데오

082

많은 사람이 다만 자기 앞을 바라보나 나는 나의 내면을 본다. 늘 나를 고찰하고, 검사하고, 음미한다.

미셸 몽테뉴

083

우리가 이미 한 일에 대한 후회는 시간이 지나면 사라지지만, 하지 않은 일에 대한 후회는 잊히지 않을 만큼 슬프다.

시드니 해리스

084

인생을 가치 있는 것으로 만들기 위해서는 스스로가 방향이 되어야 한다. 열정을 쏟을 대상을 찾고 그것을 열의 있게, 꾸준히 추구해 나갈 때 그렇게 될 수 있다.

에리히 프롬

085

사람의 가치는 그가 사랑하는 것에 의해 정해진다.

솔 벨로

086

위대한 일은 그저 충동적으로 이루어지는 것이 아니라 연속되는 일들이 하나로 연결되어 생긴다. 실패를 거듭한다 해도, 퇴보하는 것처럼 느껴진다 해도, 일이 애초에 의도한 것과 다르게 돌아간다 해도 다시 기운을 내고 용기를 가져야 한다.

빈센트 반 고흐

087

제대로 일하는 게 좋은 직업을 찾는 것보다 중요하다.

칼 뉴포트

088

사랑하는 일에 매진하는 것을 열정이라고 부른다.

사이먼 사이넥

089

지혜의 사람으로 알려진 유대인 랍비 주즈야가 한 말이다. “내가 죽어서 신에게 돌아갈 때, 신은 나에게 ‘왜 너는 모세 같은 사람이 되지 못하였느냐?’라고 묻지 않고 ‘왜 너는 주즈야답게 살지 못하였느냐?’라고 물을 것이다.” 위대한 인물이 아니라 자기 자신이 되라는 것이다. ‘잘남’이 아니라 ‘나다움’이 중요하다. 나답게 사는 것이야말로 온전한 삶의 출발점이다.

윤재윤

090

인생에서 얻을 수 있는 가장 좋은 것들은 종종 일상의 많은 부분을 바쳐서라도 피하려고 노력했던 변화에서 온다.

앤절린 밀러

091

우리는 다른 사람들과 관계할 때 비로소 자신과 관계하는 법을 배운다.

스벤 브링크만

092

연필처럼 유연한 사고를 해야 한다. 한 번 쓰면 지워지지 않는 잉크 펜이나 볼펜 같은 경직된 사고에서는 결코 창조적인 생각이 태어나지 않는다. 고정 관념을, 편견을 그리고 일상성에 토대를 둔 도구적 사고를 지울 수 있는 지우개가 필요하다. 쓰고 지우고, 지우고 써라. 지우개가 달린 연필처럼 사고하라.

이어령

093

공부의 목적은 높은 학점이나 졸업장을 받는 것, 좋은 직장을 구하는 것만이 아니다. 주변에서 일어나는 일들에 대한 이해를 높이는 것 그리고 자기 경험의 의미를 깨닫고 그 질을 높이는 것이다.

미하이 칙센트미하이

094

특별한 재능이 없더라도 폭넓고 충실하게 사는 법을 발견할 수 있다. 나에게는 세 가지 자산만 있다. '깊은 관심', '도전을 기회로 받아들이기', '열정과 자율성'이다.

엘리너 루스벨트

095

내가 옳기만을 바라지 말고 어떻게 틀렸는지 따져 봐야 한다. 우리는 늘 틀리기 때문이다.

마크 맨슨

096

나를 잘 보여 주는 것은 내 능력보다 선택이다.

조앤 롤링

097

발레뿐 아니라 살아가는 데 인내심이 없으면 가고자 하는 목적지에 더 늦게 도착한다. 학생들이 발레단에서 군무하는 것을 지켜보면, 잘하다가도 솔로 역 하는 사람을 보면서 '어, 나도 할 수 있는데, 나에겐 왜 배역을 안 주는 거야.' 하고 생각하면서부터 슬럼프에 빠진다. 먼저 자기와 경쟁해야 한다. 발전에는 끝이 없으니까. 나를 위해 쓸 시간도 부족한데, 다른 사람을 의식하느라 시간을 뺏기면 안 된다.

강수진

098

내가 뭘 좋아하는지 자각하는 건 자신을 재발견하기 위해 내디뎌야 할 중요한 한 걸음이다.

사이토 다카시

099

어릴 적에는 어른이 되면 취약하지 않을 줄 알았다. 그게 아니었다. 어른이 된다는 건 취약성을 인정하는 과정이다. 살아 있는 한 우리는 취약할 수밖에 없다.

매들렌 렝글

100

내게 그림은 꼭 이루고 싶은 꿈이 아니라 밥 먹고 잠자는 것처럼 일상적인 일이자 하루를 견뎌 내는 수단이었다. 내가 좋아서 열심히 하고, 그 뜻이 다른 사람에게도 전해지면 좋겠지만, 그렇지 못해도 끝까지 해 나가는 것만으로도 충분한 의미가 있다. 청춘은 사랑과 열정, 무엇보다 시간을 낭비한다. 하지만 그 낭비의 시간들이 인생을 풍요롭게 하는 거름이 될지도 모른다.

황주리

101

자신에게 주어진 일에 전력을 다하면 기회는 당신을 찾아낸다.

앤드류 매튜스

102

종이 왼쪽에는 단점을, 오른쪽에는 장점을 써 보세요. 둘은 묘하게 연결됩니다. 해석에 따라 장점이 될 수 있죠. 장점만 간직하세요. 용기는 스스로 가치 있다고 느낄 때 타오릅니다.

알프레드 아들러

103

내 영웅은 늘 십 년 후의 나였다. 열다섯에는 스물다섯의 나, 스물다섯에는 서른다섯의 나……. 난 결코 내 영웅에 이르지 못할 것이다. 그래도 괜찮다. 덕분에 계속 나아가니까.

매슈 매코너헤이

104

가장 먼저 잘될 만한 게 아니라 오래 할 수 있는 것을 찾아야 해요. 그러려면 내가 누구인지, 어떤 것을 좋아하고 무엇을 구현할 수 있는지를 먼저 따져 봐야 하죠.

이랑주

105

학생들이 만화가가 되려면 어떻게 해야 하느냐고 물을 때마다 말한다. "나중에 만화가가 될 거라고 생각하지 말고 지금 만화가라고 생각해라. 스스로 바라던 모습이 된 것처럼 생각하고, 행동하라."

박재동

106

꿈을 좇을 때 사람은 스스로에 대해 알게 된다. 자신의 능력과 한계 그리고 힘든 훈련을 통해 인내의 가치를 배운다.

니콜라스 스파크스

107

똑똑한 구성원들이 한자리에 모인다고 해서 능력 있는 팀이 만들어지지는 않는다. 결정적인 요소는 각 구성원의 평균적인 사회 지각 능력, 즉 인성이다.

톰 멀론

108

다른 꿈이 있다고 지금 일에 최선을 다하지 않는 건 핑계를 대는 것이었다. 싫은 일에도 최선을 다할 때 꿈을 위해 온몸을 바칠 수 있다.

와다 이치로

109

행동이 없으면 희망도 없다.

피터 리바이

110

천천히 하라. 아주 쉬운 것부터 시작하라. 천천히 수련하는 선수는 진전이 더디더라도 어느 순간 벽을 깨고 한 단계 도약한다.

크리스토퍼 소머

111

영화와 인생은 찰흙 같아서 우리가 형태를 빚어 주길 기다립니다. 자격이 있다고 생각만 하면 모든 것을 가능하게 만드는 잠재력에 신의 축복이 있기를.

셜리 맥클레인

112

지난 이십오 년간 심리학을 연구하면서 중요한 사실 하나를 발견했다. 바로 '사람은 자기만의 인생을 살아가는 게 제일 중요하다'는 것이다.

우즈홍

113

인생의 가장 큰 스승은 '뼈아픈 실패'다. 그 고통이 근본적 변화를 가능하게 만들기에.

레이 달리오

114

세계적으로 영향력 있는 인물들의 공통점은 자신의 이상과 목표를 추구하는 과정에서 끈기를 보였다는 점이다.

빅터 고어츨

115

왜 메모가 중요하냐면, 메모가 버릇이 되면 '느끼는 것'도 버릇이 되기 때문이다. 뛰어난 존재가 되기 위한 조건은 남보다 더 많이 느끼는 것이다.

노무라 가즈야

116

가 보지 않은 길에 대한 후회는 오래오래 아쉬움으로 남습니다. 가지 않은 길보다는 가 본 길들에 대해 후회하기로 합니다. 과감히 맞닥뜨린 뒤에 맞는 후회가 삶을 더 풍부하게 해 줄 거라고. 그렇게 더 많이 후회하고 도전해 보자고.

이희인

117

인생에 책임을 진다는 것은 두 가지를 뜻한다네. 이해하는 것 그리고 인정하는 것.

페터 비에리

118

지금 적극적으로 실행하는 괜찮은 계획이 다음 주의 완벽한 계획보다 낫다.

조지 스미스 패튼

119

인생은 결국 재능보다 선택으로 좌우됩니다. 잘 생각해 보세요. '내가 이렇게 똑똑하다.'가 자랑이 될까요? '내가 이렇게 좋은 선택을 했다.'가 자랑이 될까요?

제프 베조스

120

세상일이란 실제로 해 보면 지레 걱정했던 것 보다 쉬운 법이야.

나가이 가후

121

현재가 즐겁지 않다면 그 어느 곳에도 즐거움은 없다. 하던 일을 바꾼다 한들 새로움은 잠시뿐, 기대감은 또다시 실망으로 변한다. 다른 곳을 향한 시선을 거두어 여기를 주목하라. 즐거움은 언제나 지금 여기에 있다.

정약용

122

무리한 일을 하고, 실패를 하고, 의미를 알 수 없는 일을 하고, 긴장할 만한 순간을 만나고, 단념하지 못하고, 미련 철철 넘치는 일을 하고, 자신의 한계에 부딪치고. 이런 노력들이 위대한 인생을 보장하는 것은 아니지만, 적어도 인생을 즐겁게 만들어 줄 수 있어. 있지, 노력하는 것은 즐거운 일이야.

이시은

123

우리는 자주 오해받는다. 우리 자신이 계속 성장하고 변화하기 때문이다. 우리는 껍질을 벗고 봄마다 새로운 옷을 입는다.

프리드리히 니체

124

나는 안다. 자신을 소중히 여기는 사람은 자연과 주변 사람, 생물, 집 등 모든 존재를 소중히 다룬다는 것을.

타이라 아이린

125

위대한 사람은 평범한 것에서 위대함을 찾아 낸다. 그러므로 뽐내거나 자신을 위대하게 보이려 하지 않고 있는 그대로 성실하게 살아가는 자세가 중요하다.

이케다 다이사쿠

126

모든 말에는 자기와 타자를 돌보려는 의도가 있어야 한다. 의도가 좋을지라도 여과 없이 내뱉는 말은 폭력에 가깝다. 내 말을 듣는 사람의 감수성을 고려하느냐에 따라 자기주장인지 공격성인지가 결정된다.

프랑수아즈 켈러

127

실패란 없다. 누구나 자신이 누구인지 뚜렷하게 집중할 수 있도록 실수할 뿐이다.

오프라 윈프리

128

저편에서 어떤 일이 당신을 기다리고 있을지 누가 알겠어요? 여기서는 모든 것이 기회로 가득하니까요.

프란츠 카프카

129

나는 똑똑하지도, 지혜가 많은 것도 아니다.
다만 나는 변화하고자 했을 뿐이다.

빌 게이츠

130

우리가 서로를 대하는 방식이 모든 일의 전부다.

대니 마이어

131

작은 일에 충실하십시오. 당신을 키우는 힘은 거기에 있으니까요.

테레사

132

자아는 이미 만들어진 게 아니라 선택을 통해 계속해서 만들어 가는 것이다.

존 듀이

133

분노는 뇌가 충전되어야 줄어드는데 특히 중요한 것이 사람, 자연, 문화다. 좋은 사람을 만나서 맛있는 것을 먹고 즐겁게 대화하는 것, 자연을 즐기는 것, 문화를 향유하는 것. 이 세 가지가 뇌를 충전시키는 핵심 요소다.

윤대현

134

평판은 겉으로 보이는 모습이다. 인격은 진정한 모습이다. 평판은 밖에서 찾아온다. 인격은 안에서 자란다. 평판은 일순간에 만들어진다. 인격은 평생에 걸쳐 쌓인다. 평판은 버섯처럼 자랐다가 사라진다. 인격은 영원히 지속된다.

윌리엄 데이비스

135

사람이 가진 강점의 출발은 그 약점에 있다.

모기 겐이치로

136

배우고 익힌 것을 먼저 나에게 적용한다. 스스로에게 실험한 것 가운데 효과 있는 것을 활용한다. 내가 갖지 않은 것을 나누려는 잘못을 하지 않는다.

구본형

137

덴마크 사람들은 첫 월급으로 의자 같은 가구나 인테리어 소품을 구입한다. 여기에 행복의 비밀이 있다. 옷, 시계 등 겉모습을 꾸미는 물건 대신 본인이나 가족, 친구 등과 쾌적하게 지내기 위한 공간에 먼저 투자하는 것이다.

오자와 료스케

138

나는 언제나 외부에서 힘과 확신을 갈구했지만 그것은 내면에서 나왔다.

안나 프로이트

139

전문가는 아주 작은 영역에서 할 수 있는 모든 실수를 한 사람이다.

닐스 보어

140

당신을 존중하라. 당신의 노력을 존중하라. 이 둘을 겸비하면 진정한 힘을 가질 수 있다.

클린트 이스트우드

141

어떻게 살아야 할지 고민하는 젊은이들에게 똑같이 답한다. 변함없는 지혜가 담긴 책을 읽고, 산책하고, 사랑을 나누는 일의 미래를 생각해 보는 게 훨씬 현명한 노력이라고.

안나 홈즈

142

우선 그곳을 향해 뛰기 시작했다는 것이 재능이다. 재능이 없는 사람은 뛰지도 않으니까.

이마무라 쇼헤이

143

슬럼프는 발전을 위한 필요악이다. 이때 중요한 것은 전체를 본 뒤, 기본부터 점검하는 것이다. '왜 이러지?'라는 불필요한 생각으로 조급해지기보다 한 발 물러서서 상황을 근본적으로 검토하라. 슬럼프는 기본적이고 핵심적인 원칙을 단순하게 재구성해 실현하면 반드시 극복된다. 또한 이때가 자신의 그릇을 키우는 절호의 기회다.

김병현

144

사소한 일을 반복하는 것이 엄청난 곳으로 향하는 단 하나의 길이다.

스즈키 이치로

145

"천 명이 나를 알면 나는 천 명의 다른 사람이다."라는 말이 있다. 사람들은 자기만의 방식으로 생각하고, 그에 따라 대한다. 그들 한 명 한 명이 당신을 대하는 방식은 그가 어떤 사람인지 보여 주는 진술이지, 당신이 어떤 사람인지가 아니다.

크리스 코트먼

146

쉬운 방법은 싫었어요. 쉬운 건 늘 타협을 불러오거든요. 타협하지 않으면 편하지는 않지만 즐거움은 많죠.

후루카와 시로

147

중요한 것은 목표를 이룰 수 있다는 신념이나 기대감, 즉 '나는 그 일을 충분히 할 수 있어.'라는 마음가짐이다. 심리학자들은 이것을 '자기 효능감' 또는 '지각된 역량'이라고 한다.

벤 티글러

148

인생의 문제는 해답이 있어서 풀리는 게 아니다. 인간이 성숙해져서 문제 자체가 문제가 아닐 때 풀린다.

김흥호

149

아름다운 꿈을 지녀라. 그것이야말로 생활을 헤쳐 나가는 힘이자 기쁨이다.

이오덕

150

인생의 가장 큰 영광은 결코 넘어지지 않는 게 아니라 넘어질 때마다 일어서는 데 있다.

넬슨 만델라

MEMO

처음, 사회생활

사회생활을 시작하는 당신에게 들려주고 싶은 말 150

펴낸날 2020년 9월 1일 초판 1쇄

엮은이 좋은생각 편집부

펴낸이 정주안

펴낸곳 좋은생각사람들

서울 마포구 월드컵북로22(동교동, 영준빌딩) 2층

전화 02-330-0333, 02-333-0329(팩스)

홈페이지 www.positive.co.kr

ISBN 979-11-87033-42-4 00190

값 8,000원

이 도서의 국립중앙도서관 출판예정도서목록(CIP)은 서지정보유통지원시스템 홈페이지(http://seoji.nl.go.kr)와 국가자료종합목록 구축시스템(http://kolis-net.nl.go.kr)에서 이용하실 수 있습니다. (CIP제어번호 : CIP2020025987)